C000085692

txt

book

:-)

h

Huge thanks have to go to all those kids who shared their text
messages, no matter how embarrassing. Deep debt of gratitude to
the great known and unknown texters who developed a language
where spelling comes second to the message.

Text copyright 2001 © Kate Brookes
Cover illustration and design © Clare Harris, Design Monkey
Published by Hodder Children's Books 2001

The right of Kate Brookes and Clare Harris to be identified as the author and
illustrator of the Work has been asserted by them in accordance with the
Copyright, Designs and Patents Acts 1988.

10 9 8 7 6 5 4 3 2 1

A catalogue record for this book is available from the British Library.

ISBN: 0 340 85181 3

Hodder Children's Books
a division of Hodder Headline Limited
338 Euston Road
London NW1 3BH

Printed and bound in Great Britain

the txt book

Kate Brookes
Design by
Clare Harris

h

Contents

Contents

Hlo, RU Redy2Txt?

:-)

The Txt Book is the coolest txt msg book ever. It's the biz for fast-talking mobizens who want to keep the chatter going without blowing loads of dosh. There's text express shortcuts, acronyms, freestyle messages and emoticons! Get txted up with the a,b,c of chat, learn some four-letter words (smutty, not), organise your M8s for a F2F, and sort your luv life, friendships, school and family. And when the chat is not to your liking, there's shedloads of backchat lines.

The basics

Text express shortcuts are all about dropping unnecessary letters and using symbols to replace entire words. They look like this …

Wan 2 Tlk?

Acronyms are where whole phrases are expressed using just the first letter of each word.

ITTIA – I text therefore I am
MPSA – Mobile phone surgically attached

Freehand messages use every fast talking trick around, including emoticons. You can be ace creative in freestyle, but make sure your message is clear.

:-) Msgs @ T SpEd Of Lite

Some moby-users, desperate to text quick, drop spaces between words and start each new word with a capital. Other mobizens find it easier to text everything in lower case and space each new word. Up2u!

<(o?o)> huh?

The dollar sign – $ – is used instead of double-s.

w$up? wassup?

A capital letter in a shorthand text can mean that the letter is repeated or that it is a long sound.

I ki$ fOtbAL

To refer to yourself, put an arrow before the message

<——— :-(

Texting a whole message in capital letters is the same as shouting.

SO RUDE!

Make it even easier for mates to understand your messages by ending questions with a question mark and exciting (or angry) stuff with an exclamation mark or ten.

RUF2Tlk? Are you free to talk?
YTTM! You talk too much!
:-(@) 2U2! Screaming to you, too!

Getting txted up

:-)

Get your head around text shorthand for those dead-useful words and acronyms that crop up in every conversation and lots of ways to get the chat flowing.

Express shorthand

&	and
aft	after
b	be
b4	before
bg	big
bt	but
c	see
chLd!	chilled!

@ at

cld	could
cn	can
cos	because
cnt	can't
dnt	don't
4	for
4get	forget
g8	great
gd	good
hs	has
l8	late

+!

yes

l8r	later
lk	like
LkIt!	like it!
liTl	little
luv	love
m/b	maybe
MOB	mobile
moby	mobile
msg	message
n1!	nice one
ne	any

-! no

ne1	anyone
nethng	anything
no1	no-one
nt	not
ppl	people
r	are
ru	are you
sum1	someone
t	the
w/	with
wan/wnt	want

2
to

y
why

w/e	whatever
whn	when
wld	would
w/o	without
wot	what
wu	what's up
u	you
ur	you are/your
xlnt	excellent
y	why

Opening lines

Do u spk txt?   Do you speak text?

F2T   Free to talk

HLo ne1 there?   Hello, anyone there?

HUGS   Hi, you gorgeous specimen

Msg4U   Message for you

PCM   Please call me

RUF2T?   Are you free to talk?

TxtMe   Text me

WBF415M?   Wanna be famous for 15 minutes?

Where are your manners?

ThkU	Thank you
Thx	Thanks
PCM	Please call me
Pls	A sweet please
Plz	A desperate please
RSVP	Answer required
Sre	Sorry
SreSreSre	Mega grovel for being really wicked!

m(--)m

I am
so sorry

Drop a letter

BWDIK?   But what do I know?

CIO   Check it out

CSL   Can't stop laughing

DBEUR   Don't believe everything you read

DGT!   Don't go there!

DUH   Did you hear

DUJH8IW   Don't you just hate it when

DUK   Did you know

DUR   Dur!

GIWIST   Gee, I wish I'd said that

HHOK	Ha ha only kidding
HUH	Have you heard
IDGI	I don't get it
IDK	I don't know
IDKU	I don't know you
IDST	I didn't say that
IDTS	I don't think so
ILTT	I live to talk
IOOH	I'm out of here
IU2U	It's up to you
IYSS	If you say so

:-<>

Want to chat?

J/J	Just joking
KWIM	Know what I mean
LMK	Let me know
LTNC	Long time no see
NAC	Not a clue
NAGI	Not a good idea
NNWW	Nudge, nudge, wink, wink
NP	No problem
OIC	Oh, I see
ROFL	Rolling on floor laughing
RUOK?	Are you okay?

:-(!)
You talk too much!

SOS	Same old stuff
SWDUT?	So, what do you think?
T&E	Tired and emotional
URSR	You are so right
WEG	Wicked evil grin
WH?	What's happening?

I luv my moby

10 four-letter words

BTDT	Been there, done that
GE2E	Grinning ear to ear
INBD	It's no big deal
OLIO	Oh, leave it out
PIMP	Peeing in my pants
WDUS	What did you say
WEYS	Whatever you say
YGBK	You gotta be kidding
YWTG	Yo, way to go
YYSW	Yeah, yeah, sure, whatever

ATB   All the best

B4N   Bye for now

BCNU   Be seeing you

CUL8R See you later

CWUL   Chat with you later

CYA   See ya

EOM   End of
           message

G2G   Got to go

HAGO   Have a good one

XOX

hugs
and
kisses

H&K	Hugs and kisses
HAND	Have a nice day
IOOH	I'm out of here
KIT	Keep in touch
L8	Later
LOL	Lots of love (but beware, it also means 'laughing out loud')
LUL8R	Love you later
LULZ2	Love you lots too
TUL8R	Text you later

DIY Txt

Record your fave messages and emoticons here.

Zipped   **Unzipped**

Express your emoticons

Emoticons are a way of letting text receivers know if you're happy, a bit miffed or well angry. Added to the end of a message they make it clear if you're telling a joke or something tragic.

:-I2U Not talking to you

This is an example of side-on text art. To get the picture, tilt your head or turn your MOB sideways.

*^_^* I know a secret

Front-on emoticons don't require any head-turning effort.

:)

Shrinkies do exactly the same thing as emoticons, but they do it faster because they don't have a nose.

:- (

If your moby is short of a dash or squiggle, get creative and devise your own emoticons.

Smile lines

:)	Smiling and happy shrinkie
:-)	Smiling and happy side-on
:-D	Truly, madly, deeply happy
:->	Cracking a cheesy
:-(0)	Laughing big time
:-y	Message sent with a smile
:,-)	Tears of laughter

l:-?

What?

Dead miffed

:-(Not a happy bunny

(:-.....   Crying a river of misery

}}:-(Well worried

:-l   Bit grim

:-[Disappointed

:-C   Bummer!

:-0   Gobsmacked

8-o   Uh oh, this is not good

=8-O   This will make your hair stand
             on end

Teen angst

\:-*/   Life has left me bitter and twisted

>:-<   Truly, madly, deeply angry

>>>:-<   Look at the wrinkles I'm risking

>:-@   I'm so angry, I'm going to scream

:-!   I want to say something rude

:-!!!   You don't want to know what I'm thinking

~~:-{   I'm about to blow my top

:->>>>?   You wouldn't lie to me, would you?

(l=   I am a mushroom. Fed on manure and kept in the dark

A state of mind

>:-{   Feeling mean and angry

:+(I'm crushed

?:-S   Dazed and confused

I:-II   I'm being serious here

[:-[[Disgust, contempt, scorn

:-m   Mmm! Need to think this over

>;->   It's the devil in me

?>;->   Wanna do something wicked?

<8-]   Stupid or what?!

:*I   Blushing with embarrassment

Read between the
lines

:-} Smirking in a smug sort of way

:-& Tongue-tied

:-| Leaves me totally unmoved. Text art equivalent of **TSWC** – Tell someone who cares

I-O Yawn

?:-S Clueless

:-| zz ZZ Bored, big time

:-|-: You're so two-faced

`<(o?o)>`

huh?

:-@@@@	Real sick
:-~)	Runny nose
~{:-(	Burning up
X:-(	Headache
~(X X)~	Headache from hell
::=))	Seeing double
([::])	Plaster
o-===="	Flat on my back
[@]:-{	Head case – call the men in white coats

(~.L.~)

happy, not

Time is money

<C>	crying
<G>	grinning
<J>	joking
<L>	laughing
<M>	moaning
<S>	smiling
<T>	thinking
<Y>	yelling
<Z>	sleeping

o-|8--<

gal

o-|--<

lad

Not grinning, then reverse the arrows **>G<**

34

DIY Txt

Record your fave messages and emoticons here.

Zipped   **Unzipped**

If you're lost for wonderful words to quickly describe yourself and other really fantastic peeps, you've come to the right place. It's also where you'll find the perfect way to chat-off least loved folk. To find out someone's crucial details, simply key-in **a/s/l** and in return you'll get age, sex, location.

You to a T

AAAC   Avoid at all costs

BBUKT   Beautiful, but you knew that

BBWB2M   Beautiful body with brains to match

BHD   Bad hair day

BL   Blokey lad

BIOP   Brain in off position

BOAG   Body of a god/goddess

BPHN	Brad Pitt he's not
CBA	Could be alien
CBFB	Can bore for Britain
CWOT	Complete waste of time
DDGG	Drop dead gorgeous girl/guy
DGH	Dead gorgeous and handsome
DIM	Dopey and immature
FAB	Fab abs and butt
GAT	Girl about town
GDM	Gloom and doom merchant

BM

Babe magnet

GF	Girlfriend
GSOH	Good sense of humour
HBNOTW	Heavenly being not of this world
HSP	Highly sensitive person
LOTP	Leader of the pack
MUG	Major underachiever but gorgeous
OOD	Object of desire
QT	Cutie
SIYF	So in your face
SAM	Sad and misinformed

F&NC

Fruit and nut case

SNP	Sorry, no personality
SL	Soft lad
TWFW	Too weird for words
WAH	What a hunk
WOTT	Waste of text time
YUF(ISHF)	Young, unattached, friendly (I saw him/her first)

BIAB   Back in a bit

BRB   Be right back

CMB   Call me back

HB   Hurry back

H/O   Hold on

GTGP   Got to go pee

PlzDntGo Please, don't
go

TMB   Text me back

W1M   Wait one minute

WAIW

Why am I waiting?

II''''''II	Bob-cut
''''''''''	Really short hair
WWW o,o =	Hedgehog spikes
C C C C . .C C C	Big curls, big hair
SssS S..S S S	Long and curly
§§§ ü	Natty dreads
q..p	Pig tails
o(^!^)o	Just had my ears pierced

```
m  m  m       Just done my hair.
JJ ^.^ JJ     What do you think?


@ @ @         Can't talk right now.
@0.0@         Hair in curlers and wearing
@ O @         cucumber face mask


\X/           French braid down back
 X
 x


 xIIIIx       Yee-ha, line-dancing
X. .X         plaits
x o x
x   x


(0)           Gee-up, pony tail
 0
><
J


{{''}}        Hair crimped in a
[{ }]         sandwich maker


H-H           Wearing paper bag to
I I           hide hair disaster
```

Face-up expressions

8-)	Spectacles
B-)	Cool shades
B:-)	Shades on head
II:-)	Time to pluck eyebrows
:-)))	Count the chins
:U)	Big nose
:^)	Pointy nose
:<)	Turned-up nose
:-.)	Beauty spot
:-')	Have nose ring

:-I	Before lip enhancement
:-{}	... after lip job
:-=	Teeth like a beaver
:-<	I am the walrus
:-E	Need braces
:-#	Have braces
::::-(::	More spots than a leopard
""-)	Mega lashes to flutter
:-})	Lip fungus
:-)=:	Before boob implants ...
:-)=8	... after

Picture paints a
1000 words

0:-)	Angel
8:-)	A real sweetie
***<:o)X**	Class clown
<l:-)	White witch
<l:-(	What a witch!
~~§:-[	Sooo moody
:——►)	Liar, liar, pants on fire
:-l-:	Two-faced
(-:/:-)	Split personality

(_!_)	Tight buns
(_?_)	Does my butt look big in this?
(_Y_)	Wedgie!
<:-?	Nice but dim
{:<>	Bird brain
[:-]	Blockhead
C:-)	Brainy-type
3:-o	Silly moo
:@)	This little piggy ...
<(@?@)>	Gormless but sort of cute and cuddly

5 mobizens you don't want to know

Chat god/goddess
Tragedies who believe you hang on their every word (so wrong)

Dork
No matter how he or she communicates, a dork is a dork.

DtGb:<Gt=

Don't get mad. Get even

Dweeb
Single brain-cell life form who is resistant to most 'get lost' lines

ESO
Equipment is smarter than operator, so he or she should read the manual **(RTM)**

Geek
Someone who thinks you care how mobile technology works

DIY Txt

Record your fave messages and emoticons here.

Zipped   **Unzipped**

Get F2F
with
Ur M8s

Want to get a face to face happening with your buds? Here's how to txt the who, what, when and where in a flash. There's also clues on how to suss when a txt-mate is down and needs reality contact with generation txt.

Freestyle texting is a combination of acronyms, shorthand and creative spelling – you know, the type that sends teachers loopy. Serious mobizens start every new word with a capital letter and forget about spacing. There's a lot, though, to be said for keeping everything in lower case (little letters) and putting a space between each word. Choose the freestyle that suits you, sir!

Fast talking

2Grgus2B@Hm

Too gorgeous to be at home

CU2nite@6@

See you tonight at 6 o'clock at ...

DoUWan2GoOut2da? Do you want to go out today?

DoUWan2DoNethng? Do you want to do anything?

FlLkBngWld&Untmd Feel like being wild and untamed

Gong2HvAPrty Going to have a party

Gt2gthr Get together

GtUrS8sOn Get your skates on

INd2CU
I need to see you

LtsGoTnto
Let's go Tonto

LtsMkeHstry2da	Let's make history today

:-)&TWrld:-)W/U

Smile and the world smiles with you

LtsLrgItUp	Let's large it up
MakMyDaSa+!	Make my day, say yes
0OnVidWan2F2F?	Nothing on vid. Want to face to face?
PikMeUpDntPut MeDwn	Pick me up. Don't put me down
Rdy2Go	Ready to go

RUOn4	Are you on for
RUUP4IT?	Are you up for it?
TWkndHsLnded	The weekend has landed
Wan2RAv&MsbhAv?	Want to rave and misbehave?
Wan2RunW/TCrw?	Want to run with the crew?
WotRUUP2?	What are you up to?
Wan2GoBoyfBAGng?	Want to go boyfriend (or GF) bagging?
UROn!	You are on!

Brief encounters

CW2CU   Can't wait to see you

DSWM   Don't start without me

BCNU   Be seeing you

BTOBS   Be there or be square

BTOE   Be there or else

BTWBO   Be there with bells on

WYWFWH   We're young, we're
                   free, we're happening

TGIF   Thank goodness it's Friday

The time ...

2day	today
2moro	tomorrow
2nite	tonight
afr	after
b4	before
BRT	be right there
CU	see you
CUL8r	see you later
IL8	I'm running late

CU@

See you at

L8RG8R	later Gator
MM@	meet me at .....
RtHrRtNw	right here, right now
ST2moro	same time tomorrow
sn	soon
w8	wait
W84Me@	wait for me at
U@?	you at? (where are you?)

WMWITW

Wake me when it's the weekend

...the place

BTBS	behind the bike sheds
MP	my place
OTB	on the bus
Rec	recreation ground/park
RT	the mall for retail therapy
SkulG8	school gate
UptwmW/Me	uptown with me
YP	your place
Xplx	multiplex cinema

Where's the action?

Λ,   Going by foot

o–Yo   Get on yer bike

-o---o'   Grab your skateboard

.--T   Have micro scooter – will travel

/[£][£]\   Have pocketmoney – let's shop

,__Λo   Let's get into the swim

,,,,*_   Surf's up, let's get sand between our toes

_*_   Midday (high noon)

-*-   Morning/a.m.

_(_	Night/p.m.

~~
  [uuU]
  o--o
	Taking the train;
	bound to be late

==O	Tennis, anyone
III___o=	Ten-pin bowling

1dafl	wonderful
mzng	amazing
blst	blast
bz	busy
crz	crazy
dedul	deadly dull
fab	fabulous
funnt	fun, not
g8	great

BLAH

boring
lousy
awful
horrible

lrg	large
louz	lousy
ma$iv	massive
scry	scary
sZlng	sizzling
trbl	terrible
trfic	terrific
trgik	tragic
frLng	thrilling
xlnt	excellent
xtrEm	extreme

wikd
wicked

ADUNW2Go	All dressed up, no where to go
AWOL	Adolescent without life
BIWOLY	But I went out last year
Grndd4Evr	Grounded forever
LWMTBF	Life wasn't meant to be fun
NoBdyLuvsMe	Nobody loves me
2MchHmwk	Too much homework
POMC	Parents on my case
ZtzRMe	Zits are me

5 other mobizens
to avoid

Luser
A loser user who should stick to chat rooms

Phantom menace
Creep who transmits suss messages

QED
Brain of Britain wannabe who finds everything
'Quite easy, dummy'.

Spod
A text nuisance who is well-
down the evolutionary scale

Troll
Idiot who texts fear, uncertainty
and misinformation (**FUM**)

DIY Txt

Record your fave messages and emoticons here.

Zipped   **Unzipped**

Back-off lines

There comes a time in every texter's life when it's just impossible to ignore certain messages in the hope that the sender will give up or run out of talk time. To get out of these stressy txt corners and boring conversations, use Poison Letters, freestyle Chat Killers and Sounding You Out. There's also winning back-off lines and emoticons for senders who won't butt out and don't get the hint.

Poison letters

BTSSD	Boring texters should self-destruct
DHUOMIMT	Don't hang up on me. It's my turn
GAFA	Go away, far away
GB	Goodbye
GBA	Goodbye again

IDKYILITW	I don't know you. I like it that way
IOOH	I'm out of here
M-m M-m	I'm not going to answer. I know it's you
NIDWTC	No, I don't want to chat
OONUA	Oh no, not you again
SOMY?	Sick of me yet?
TT4Evr	Ta ta forever
YCRCU?	You can read, can't you?
YNYNYN	Yes, no, yes, no, yes, no (like I'd take any notice of what you've got to say)

DjaVOdO   Deja-voodoo (Something creepy's back again)

EvrythngUTxtGoesStr82MyM8s
Everything you text goes straight to my mates

IHpdUWereSum1Els
I hoped you were someone else

MstGoLifsP$ngMeBy
Must go, life's passing me by

OfALTMOBsInTWrldYMine?
Of all the mobiles in the world, why mine?

OpsImCuTngUOF

Oops, I'm cutting you off
(accidentally on purpose,
you understand)

SreURBrkgnUp%$@!x

Sorry you are breaking up
%$@!x

THumIsMeHngngUp

The hum is me hanging up

TxtAginMyDdCntW82Tlk2U

Text again. My Dad (Mum
or big brother) can't wait to
talk to you

UDedul?OnlyLkAFoneBk

You deadly dull? Only like a
telephone book

URTWeakstLnkGB
> You are the weakest link.
> Goodbye

WrNgBlakBltInKungFuTxt
> Warning – Black belt in
> kung-fu text

WldULke2StrtThsCaLAgin
W/SumIEls?
> Would you like to start
> this call again with
> someone else?

BLFO

Battery low, friends only

Sounding you out

Argh!	Aaaarrrgghhhhhh!
Eeee	You're scaring me
Grrr	You make me so angry
Hsss	You're lower than a snake's belly
Lalalala	Not listening. Singing
MeMeMe	You are so self-absorbed
Rrrr	Blowing you a raspberry
Zzz	I have a low threshold of boredom and I've reached it

Oooo! Handbags!

Giving me earache

2U2   To you, too

BANG   Hanging up in anger

BO   Butt out

CLICK   I'm hanging up NOW

RML

Read my lips

DETI   Don't even think it

ICBWBIN   I could be wrong but I'm not

MstBACro$dLineSum1sTlkngRbish

        Must be a crossed line - someone's talking rubbish

NL   Not likely

OPIM   Open mouth, insert mobile

PU   That stinks

RUTxtngOrSiTngOnUrMOB?
      Are you texting or sitting
      on your mobile? (Read –
      Are you texting or talking
      mega rubbish?)

URMent2AgrEW/Me
      You're meant to agree
      with me

URWOOO   You are well out of order

UTlkng2Me?   You talking to me?

WAY?   Who asked you?

WYP?   What's your problem?

Read my lips

o-===="	Drop dead
NW<):{(	No way, Jose!
`:-	Really. I think not
:-{ }	Yelling at you
>)))))o	Sounds fishy
:-p	Sticking out my tongue
I----,,,	Long walk, short pier
:-☐	Trying really hard not to laugh and hurt your feelings
: (:)	You are a pig!

This affects me how?

CBB Can't be bothered

DHYB Don't hold your breath

DILLIC Do I look like I care?

DKDC Don't know, don't care

FMDIDGAD Frankly, my dear, I don't give a damn

Hlo&UrPointIs? Hello and your point is?

HvUCnfsdMeW/Sum1 HoCares
Have you confused me with someone who cares?

GR

Get real!

IWntUrProbsLkIWntZits

I want your problems like I
want zits

LIC   Like I care

SLNOMB   Sounds like none of my
business

SoWot?   So
what?

TAMH?

This affects me how?

TTragdIsInUrCort

The tragedy is in your court

TSWC   Tell someone
who cares

URBrkngMyHrtNt

You are breaking my
heart. Not

Tell it like it is

AUSOS?   Are you stupid or something?

CUTAH?   Can you take a hint?

DLTM   Don't lie to me

GAL   Get a life

GIGO   Garbage in, garbage out

GLP   Gah, life's poop

UGMO   You gross me out

LS   Life sucks

LUC   Like you care

NOYB   None of your business

SH2SI   Somebody had to say it

2sCmpny3sACrwd
      Two's company. Three's a crowd

Thx40   Thanks for nothing

WALOR   What a load of rubbish

WI2U?   What's it to you?

UnplgUrEgo
      Unplug your ego

YDMM   You drive me mad

YJDGIDU?   You just don't get it, do you?

URGng0Where
      You are going nowhere

TILIS

Tell it like it is

5 messages you

don't want

BL4UAML   Been looking for you all my
life (Yuk)

CnULkTlkOnMOBS2
Can you like talk on mobiles, too?

CMIIW   Correct me if I'm wrong (Don't
even think of trying)

ElvsDed?   Elvis dead? (Where has this
person been?)

Emailsbtr
Email is better

DIY Txt

Record your fave msgs and emoticons here.

Zipped	Unzipped

Friends are forever

:-)

Friends love to talk, but texting is how the real biz of friendship gets done. No surprise then that you, your mates and one or two others are responsible for sending something like 20 billion text messages a month! To keep your buddies up to speed, here's the essential txt for hot gossip, distress fests and heart-to-heart chat.

Hot gossip topics

Boyfs	Boyfriends
CSG	Comfy shoe generation (oldies)
D&M	Deep and meaningful stuff
DUCTG	Did you see the game?
FabFash	Fabulous fashion

Fworsums   Phwoarsome fellas

GF   Girlfriend

HOsHt2Sng   Who's hot to snog

IHdThsWeirdDrEm

      I had this weird dream

JUcGo$SwopSesh

      Juicy gossip swap session

RegGls   Regular guys

Top10
Short chat about
music

Top40
Long chat about
music

TIkTTlk

Talk
the talk

Stf	Stuff (usually means private-type stuff)
Swts&Clts	Swots and clots (school, teachers, class mates)
TtlBAbs	Total babes
WHWN	What's hot, what's not
WOWI	Who's out, who's in

Good friends tell

you ...

:-[.} there's spinach caught between your teeth

:-) ~ ~ ~ your hair extensions have fallen out

,-) you're only wearing one false eyelash and it's upside-down

:-i) your beauty spot has smudged badly

%%:-) it's time to hit the spot cream and lay off the fries

>:-) to stop being a devil

EE-)   when a haircut is overdue

}}:-)   a centre parting does you
no favours

{{:-)   that a Leo di Capprio
curtain fringe is old hat

8*-{0}   you've gone OTT with the
make-up (and next time look in
a mirror)

~:-@   it's time to spit the dummy
and grow up

:-) £££   you're putting on pounds

:-) =v=   your flies are undone

(:<> :-)   there's a duck on your
head and it's nesting

:-)-%	your bra has slipped
:-~)	a bogey is seeking freedom
:-) [Y	to pull up your trousers – old Y-fronts aren't meant to be seen
B B-)	that wearing two pairs of sunnies doesn't make you twice as cool
;-)	that your wink looks more like a twitch
b-)	there's no excuse for wearing broken shades
:-) mooj	when your mojo has gone wrong

DKWIDWU   Don't know what I'd do
               without you

DSTA   Don't spread this around

EGW   Everything's gone wrong

FU&LD   Fed up and let down

HMO   Hear me out

HUH?   Have you
               heard?

HWC   Handle with
               care

IAE   I'm all ears

LLL

**Loyal
loving
listener**

IDKW2D   I don't know what to do

IH4U   I'm here for you

IDLTGB   I don't like to gossip but

INYH   I need your help

LuvHsStrkMeDwn

Love has struck me down

LLL   Loyal, loving listener

LULAS   Love you like a sister

Me2U   Me to you

PSST   This is between you and me

SGC	Snort, grunt, chortle
SIIDI	Say it, I'll do it
SSS	Snigger, snigger, snigger
TM	Trust me
WRF4	What are friends for
WAG	What a giggle
YKOI?	You cool?
YEO	Your eyes only
:-X	My lips are sealed
:-) x	Cross my heart and promise

TIME

Tears in my eyes

Really deep

BTru2Urslf Be true to yourself

FrndsDntAbndn

Friends don't abandon

GdFrnds4givUrHrmonz

Good friends forgive your
hormones

Gr8M8sGoComndo2gthr

Great mates go
commando together

HugSum1ULuv Hug someone you love

ItsNshnalFrndsDaGivGenrusly2Me

It's National Friends Day.
Give generously to me

PalsDntMkeUEatBrocli

Pals don't make you
eat broccoli

Pr$EvryKeyTiLSumthngHaPns

Press every key until
something happens

UCnTxtABud247365

You can text a buddy 24
hours a day, 7 days a
week, 365 days a year

UpUrLuvLIfMAkNewFrndsEvryda

Up your love life – make new
friends everyday

WhereEvrURImW/U

Wherever you are I'm with you

LUH

Love
you
heaps

Top up text

BKnd2UrslfURWrthlt

Be kind to yourself, you're worth it

BTGUWan2B

Be the gal/guy you want to be

DrEmsDoCumTru

Dreams do come true

IUrMrMotivtr

I'm your Mr Motivator

PmpltUp

Pump it up

StrutUrStfTWrldW8s

Strut your stuff, the world waits

MakItRE

Make
it
real

ThyDntCum0KOlr

They don't come no cooler

TWrldNEds>LkU

The world needs more
like you

TxtngThndrusAplaws

Sending thunderous
applause

URTrulyMzng   You are truly amazing

UCnDoIt   You can do it

UGoGrl   You go, girl

UHavShdloadsOfChrm

You have shedloads
of charm

URUl   You rule

Kissy, kissy

{*}	Kiss
( )	Hug
((0))	Hug fest
xox	Hug, kiss, hug
:-0 *	Blowing you a kiss
MMH	Manly, macho hug
POTC	Peck on the cheek
SOTB	Slap on the back
SWAK	Sent with a kiss
VH	Virtual handshake

JGF

Just good friends

DIY Txt

Record your fave messages and emoticons here.

Zipped   **Unzipped**

Blissed out!

There are things you can say in text that would be totally blush-making in a face to face with your love object. Pick your way through the following to find love letters – plain and extra-cheesy – and lipsmacking virtual kisses. And when bliss is off the menu and love isn't in the air, there are stacks of 'you're chucked' classics.

Love letters

CHHM   Come here hug monster

C4U   Crazy for you

GNBL4U   Got nothing
              but love
              for you

GTH4   Got the hots for ...

ICQ   I seek you

IFY	I fancy you
MSF	Major snog fest
S4U	Swoon for you
TIAIL	Think I am in love
URBOAS	You are bliss on a stick
UTMO	You turn me on
W2BAI?	Want to be an item?
WUWF	Wish you were free
YFU	Young, friendly, unattached

TMIY

Take me I'm yours

Extra-cheesy love letters

OC9WU   On cloud 9
               with you

ITWUTI   It's the way
               you text it

KTMH
Key to
my
heart

LIITA   Love is in the air

UREIN   You are everything I need

U&MR1   You and me are one

UDoIt4Me   You do it for me

URM1WTTH

               You are my one-way ticket
               to happiness

Hot lips

;-)	Wink, wink, flirt, flirt
:-p..	Drooling for you
=E3=	I wanna hold your hand
(((HMH)))	Hug me heaps
:*-)	Kiss on the cheek
:-*	Pucker up
:-)x(-:	Kiss me quick
:-)X(-:	Full-on snog
:-)XXXX(-:	Record-breaking snog
:-)==I-:	Yuk! Tongue kiss

Loves me, loves me not

DntLEvMeThsWa
Don't leave me this way

AON
All or nothing

RWeHtOrNt?
Are we hot or not?

WiLUStiLLuvMe2moro?
Will you still me love tomorrow?

RWeInTPstTns?
Are we in the past tense?

LMLMN
Loves me, loves me not

URBrkngMyHrt
You're breaking my heart

DntToyW/MyMoshns
Don't toy with my emotions

Pick-up put-downs

DCMICU   Don't call me. I'll call you

GLB4UGH   Get lost before you get hurt

GOOML   Get out of my life

IAGTC   I already give to charity

LJBF   Let's just be friends

LMA   Leave me alone

NOMDB   Not over my dead body

SAD   Sorry, attached and devoted

YDMN   Your dream, my nightmare

Sorry, you're chucked

BngW/UIsATitanicMoTtlySnkng
> Being with you is a Titanic moment – totally sinking

CAlMeWhnUHavGrwnAPrsonalit
> Call me when you've grown a personality

IDntNoHw2SaThsURDmpd
> I don't know how to say this – you're dumped

ImBluOurLuvIsThru
> I'm blue, our love is through

ItsTim2SaGdByShuks
> It's time to say goodbye – shucks

NtIfUWereTLstPrsnOnErth
Not if you were the last person
on earth

0BtwEnUsBtUrEgo
Nothing between us but your ego

OurRngTnesRNtCmpatibl
Our ring tones are not
compatible

Pnts@U   Pants to you

PrtngIsSchAHOt
Parting is such a hoot

SreURChkd
Sorry, you are chucked

ThereROthrFshInTC1MayEvnHav
IsLkUrs   There are other fish in the sea –
one may even have eyes like yours

WotPrtOfNoDntUUndrstnd?

What part of no don't you
understand?

URPa$dUrBstByD8

You are passed your best-by date

ULSn4getMeUrMmrysVryShrt

You'll soon forget me. Your
memory is very short

IJstCALd2SaIH8U

I just
called to say
I hate you

RUATxtJnkie?

You are if you ...

1 check your messages before you check yourself out in the mirror

2 buy talk time and moby covers with your lunch money

3 have forgotten your native tongue

4 can write a 500-word essay using less than 50 characters

5 answer only to an 11-digit number

6 have asked Madonna to compose a ring tone

7 break a passionate clinch situation to pick up messages

8 kiss your moby goodnight

DIY Txt

Record your fave messages and emoticons here.

Zipped	Unzipped

Stress
factors

It's a jungle out there – stress factors lurk 360.
There's nightmare stuff of your own imagination
and the too-real stuff of parents, brothers and
sisters; school and teachers. Get your txt up to
speed so that you can cut it with the rest.
Beware – getting lippy can mean getting
messages from txt hell.

Welcome to your
nightmares

*<:-(=X   Going to school dressed as
a clown and nobody
notices any difference

:-[Q]   'Had ny tongue thierthed
and now I can't talk
throther any nore.Thucths!'

(_BIG_)   Being told your butt looks
big in everything

: (Dreaming your nose disappears and having to live your life as a shrinkie

:--->) Getting badly caught out telling an enormous porkie and finding that Pinocchio ain't no fairy tale

;-o Eyelash gets stuck and a nerd thinks you are coming onto him

o><=Y" Elastic snaps in your g-string right in the middle of the high street

:-(< Deluding yourself that nobody has sussed that your upside-down goatee is a fakey

o-[@]===   Being forced to wear IN PUBLIC something Great-Aunt Agatha knitted

:-(:-(:-(Being told you look like everyone else

`}x{ {   Love subject catches you liptalking to his/her best friend

=-)   Eyes have slipped sideways because you spend too much time reading emoticons

:-(===   Discovering last night's spag bol stuck to your neck

}o->>=   Catching an up-draught on go-commando day

:-≠-:	Realising braces are locked together as parents walk into the room
H-(	Crossing your eyes when the wind changes. Ooops
:- =))))	Buck-teeth and multiple chins are hereditary
':-(	Going mad with the shaver and losing an eyebrow
@@@@:-(	Forgetting to remove curlers before going out

HSWUM

Have signal – will unleash mayhem

Parents are so embarrassing

CSG   Comfy shoe generation

PASA   Parents are so analogue

TPTB   The powers that be

SSIE   So sad it's embarrassing

NSOH
No sense of humour

OOTWR
Out of touch with reality

OTPLTP
Off the pace, lost the plot

OTHBBDMB
Over the hill but breathing down my back

Parents think ...

AClbIsABiCieDiPdInChocl8

A club is a biccie dipped in chocolate

HPIsShrt4HpReplamnt

Hip is short for hip replacement

ItsOK2PutGrOv&ManInTSAmSentenz

It's okay to put groovy and man in the
same sentence

MOBsR4EmrgencsRongOrWot?

Mobiles are for emergencies. Wrong
or what?

ThtItsOK2Dnz&SngInFrntOfUrM8s

That it's okay to dance and sing in front
of your mates

Fierce creatures

BASS   Brother always steals stuff

BBOB   Big, bad, older brother

DAD   Dum and dummer

DG   Domestic goddess

FFAP
Family from another planet

ITOY
I'm telling on you

GOB
Gorgeous older brother

GRUB
Grubby, rude, untidy brother

KK   Karaoke king

LDDK	Lowest digital denominator kid
OATS	Older, awful, teenage sister
PIG	Pretty intelligent girl
QTB	Cutie baby
RR	Rug rat
SASS	
Sister always steals stuff	
SNERT	Snotty, noisy, early-rising toddler
TLB	Tender loving brother
TOT	Toddler over 2
TUT	Toddler under 2

BWFB

Born without funny bone

Getting lippy

&ImQEnOfTFaires

And I'm queen of the fairies

&ThEsRMent2BTBstYearsOfMyLIf

And these are meant to be
the best years of my life

AskSum1HOMiteSa+!

Ask someone who might
say yes

ImAngryCosItsALTRage

I'm angry because it's all
the rage

BThereWhnUCMe

Be there when you see me

DntMAkMeSaSumthngThtWiLCstMeMyPoketmuny

Don't make me say
something that will cost me
my pocketmoney

DoIHav2

Do I have to

EtMyShrts

Eat my shorts

GtOttaMySpce

Get out of my space

HErngNtLisng

Hearing not listening

HowCumItsALwazMyTrn

How come it's always
my turn

IHavMyOpinions&TheyRBtrThnUrs

I have my opinions and
they're better than yours

LIkImTkngNeNotis

Like I'm taking any notice

MeAngryURCnfsdAgin

Me angry. You're
confused again

MyMiDINAmIsCndrELa

My middle name is
Cinderella

SAvTLkcha   Save the lecture

SNtFair   It's not fair

TLEstICnDoIsSa-!

The least I can do is say no

WotDidUrOthrSlAvDiOF?

What did your other slave
die off?

WhnMouthIsOpnEngAgBrain

When mouth is open,
engage brain

WhoMAdUSuprEmRulrOfTUnivrse?

Who made you supreme
ruler of the universe?

AANSS

Act age not shoe size

WotHrmonz? What hormones?

WotRULOkngAt?

What are you looking at?

UCnTry You can try

U&WhosRmy? You and whose army?

I'm sorry

A@}->--4U   A flower for you

DntBlAmMeBlAmTHrmonz
Don't blame me. Blame
the hormones

F&F   Forgive and forget

IDdntSaThtUCntREdTxt
I didn't say that. You can't
read text

ILNvrDoItAginTiLNxtTIm
I'll never do it again until
next time

ImSoBdlyGrovLngHere
I'm so badly grovelling here

LuvUAlwaz&4evr

Love you always and
forever

LuvUEvnWhnURSoRong

Love you even when
you're so wrong

SndngUInstnt:-)

Sending you instant smile

SndngUVrtualLuv

Sending you virtual love

SreIsTHrdstWrd

Sorry is the hardest word

WhereWldIBeW/oU

Where would I be
without you?

UMAkMyDaPrmis

You make my day. Promise

School daze

BOYGTHR Be on your guard – teacher
has radar

BNF Big name fear

CRAT Can't remember a thing

DIN Do it now

DYOH Do your own homework

EZPZ Easy peasy

GBTW Get back to work

HSIK? How should I know?

ROTBA Reality on the blink again

SDNC   School does not compute

SC   Snooze cruise (boring lesson)

TMTAQ   Text me the answer quick

W&G
Winning and
grinning

WAWS2BD?

What are we supposed to be doing?

W4Me
Works for me

WM4L   Wake me for lunch

YwnsviLe Yawnsville

YHTBT   You had to be there

B-| X >=>   Be on best behaviour the
                  inspector cometh

))):-▯   Don't mess with me. It
                  won't be pretty

:o)X   It's Red Nose Day

!!!!;-o   Manic street teacher

;-(<STR$Y>   Run out of chamomile tea
                  in the staff room again

@:-)   Smiley teacher – it must
                  be Friday

o:-)   Totally divine teacher

=8:-)   Well cool teacher

What's your excuse?

DdntUGtItITxtItLstNite

Didn't you get it? I texted it
last night

GivMe1Min2ThnkUpSumthng

Give me one minute to think up
something

IDntDoExcuses

I don't do excuses

ImNtL8ImErly42moro

I'm not late. I'm early for tomorrow

**IWsLOkng4MyFemSide&CIdntFndA
Tp2Match**

I was looking for my feminine (or
masculine) side and couldn't find a
top to match

Cla$fiedUndrRecycld

Classified under recycled (In other words it was rubbish, so I binned it)

LtMeMAkMyOwnMsTAks

Let me make my own mistakes

IWsInACoMsBlAkHOl

I was in a communciations black hole

SEkngINrSlfBtROmWsATip

Seeking inner self, but room was a tip

UJstDntGtItDoU?

You just don't get it do you?

WhereIsTTrstInThsWrld?

Where is the trust in this world?

WotTImZOnWsThtIn?

What time zone was that in?

Spy warnings

CorS   Cover or suffer

DW&W   Dad whistling and watching

4UIsOnly   For your eyes only

__m_oUo_m__

**We are
not alone**

GWTL   Get working –
teacher lurking

HDPUMO   Heads down, pens up,
mobiles off

:-):-(
There's someone looking over my shoulder

KWBN	Kids with big noses
MH&H	Mother hoovering and hovering
PGL	Parents get lost
PM	Private message
POP	Parents on patrol
POS	Parents over shoulder
SMRSTWL	Snoops may read something they won't like

Messages from
text hell

URGrndd4oo

> You're grounded for infinity

HndUrMOBInAtTDOr

> Hand your mobile in at the door

WotpoktmunyOhThtPoktmuny-!

> What pocketmoney? Oh, that
> pocketmoney. No

IveTxtUrM8s&TldThmEvrythng

> I've texted your mates and told
> them everything

IHOpThsIsIntRuptngSumthng

> I hope this is interrupting something

DIY Txt

Record your fave messages and emoticons here.

Zipped | **Unzipped**

Text for laughs

Here's some jokes of the ha-ha, doctor-doctor and what-do-you-get type to send to friends who need to exercise their laugh muscles.

Scream savers

DsUHearBoutTKdHODrwndInHsMusli?

Did you hear about the kid who drowned in his museli?

HeWsPULdDwnByAStrngCuRnt

He was pulled down by a strong currant.

WotWldUCAlAFlshEtngMnstr?

What would you call a flesh-eating monster?

NethngHeWnts

Anything he wants

::--))

Doubled-up laughing

HwDoUMAkAHnkyDnz?

How do make a hankie dance?

GveItALiTIBOgy

Give it a little boogie

:-| zzz

Heard it before

WotsBlAkWltCold&NoiZ?

What's black, white, cold and noisy?

APnqunW/ADrmKt

A penguin with a drum kit

WotDoesDrculaEt4Brkfst?

What does Dracula eat for breakfast?

RedyNekBuTrdHost&HtCOFn

Ready neck, buttered host and hot coffin

WhereDoBrngTEchrsGo?

Where do boring teachers go?

2MyClA$

To my class

WotDdTLitesSa2TKA?

What did the lights say to the car?

DntLOkImChngng

Don't look I'm changing

YDdntTTeDeBearEtDiNr?

Why didn't the teddy bear eat dinner?

HeWsStFd

He was stuffed

WotsRongIfFEtSmEL&NoseRns?

What's wrong if feet smell and nose runs?

URBiltUpsideDwn

You are built upside-down

WotLiesInAPrm&WoBls?

What lies in a pram and wobbles?

AJeLyBaB

A jelly baby

DoLiteBulbsFALInLuv?

Do light bulbs fall in love?

Sure,WaTs&WaTs

Sure, watts and watts

YDdTToiltPaprRoLDwnTHiL?

Why did the toilet paper roll down the hill?

CosItWntd2REchTBoTm

Because it wanted to reach the bottom

HwDoUKEpAnEjitInSspens?

How do you keep an idiot in suspense?

ILTeLUL8r

I'll tell you later

WotDoUGtIfUStUndrACow?

What do you get if you sit under a cow?

APatOnTHed

A pat on the head

138

WotCnUDoW/BluChEs?

>What can you do with blue cheese?

ChERItUp

>Cheer it up

WotHsABoTmAtTTopOfIt?

>What has a bottom at the top of it?

ALg A leg

WichVegIsBstAvoidd?

>Which vegetable is
>best avoided?

AMsclSprout

>A muscle sprout

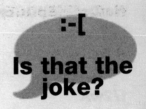

YDoElefantsHavFltFEt?

>Why do elephants have flat feet?

FrmJmpgnOutOfTrEs

>From jumping out of trees

WotDoUGtIfUCro$TRexGMCaRot&MoBDik?

What do you get if you cross T-rex, genetically modified carrot and Moby Dick?

DntNoBtIOOH

Don't know but I'm out of here

WotDoUGtIfUCro$TAtInticW/TTitanic?

What do you get if you cross the Atlantic with the Titanic?

1/2wA

Halfway

WotDoUGtIfUCro$ARaiNyDaW/ABoyBnd?

What do you get if you cross a rainy day
with a boy band?

WtWtWt

Wet Wet Wet.

:-..(

**Wetting
myself**

WotDoUGtIfUCro$APUDng
W/ATAlBildng?

What do you get if you cross a pudding
with a tall building?

TTriflTwr

The triffle tower

WotDoUGtIfUCro$ASoapW/AGrveyrd?

What do you get if you cross a soap with
a graveyard?

DedEndrs

DeadEnders

Deer me

WotDoUCAlADErW/AnUmbrELa?
What do you call a deer with an umbrella?
A RaindEr
A rain deer

WotDoUCAlADErW/0ls?
What do you call a deer with no eyes?
NoIDEr
No eye deer

WotDoUCAlADErW/0ls&0Lgs?
What do you call a deer with no eyes and no legs?
StiLNoIDEr
Still no eye deer

:-@

That's
sick

Dumb or not?

ROstrLaysAnEGWhchWaWiLltRoL?

A rooster lays an egg. Which way will
it roll?

ROstrsDntLayEGs

Roosters don't lay eggs

**WotCums1InAMin2InAMomntBtNot1InA
100Years?**

What comes once in a minute, twice in a
moment, but not once in a hundred years?

TLeTrM

The letter M

WotIsTLngstWrdInTDctionry?

What is the longest word in the dictionary?

S-mile-s

S-mile-s

Doctor, doctor

DrDrIveGt50Secs2Liv

Doctor, doctor I've got 50 seconds to live

W81MinPlz

Wait one minute, please

DrDrIThnkImASpOn

Doctor, doctor I think I'm a spoon

StDwn&DntStr

Sit down and don't stir

DrDrIKEpTwitchng

Doctor, doctor I keep
twitching

WthUIn1Tic

With you in one tick

:-oO
belly
laugh

DrDrIFEILkAStrbry

Doctor, doctor I feel like a strawberry

ILGivUSumCrEm

I'll give you some cream

DrDrIThnkImACmpSte

Doctor, doctor I think I'm a campsite

RIxUR2Tenz

Relax, you are too tense

DrDrIveGtEarsLIkARaBit

Doctor, doctor I've got ears like a rabbit

CumHareThn

Come hare then

DrDrIveImAFuNyFOtBAlr

Doctor, doctor I'm a funny footballer

MdJstrUnitdThn

Mad jester united then

DIY Txt Jox

Collect your text jokes and puzzles here.

Zipped	Unzipped

Ummm?

:-)

Lost for a word? Tongue-tied? Can't unzip
a message? Don't know if you're a chucker or
chucked, then here's an A to Z
of shortcuts.

about	bout
after	afr
again	agin
all	aL
amazing	mzng
and	&
any	ne
anyone	ne1
anything	nethng
are	R
are you	RU
at	@

A

bad	bd
be	b
because	cos
before	b4
being	bng
best	bst
better	btr
big	bg
book	bk

B

boring	brng
boyfriend	boyf
break	brk
busy	bz
but	bt
call	cAl
can	cn
can't	cnt
chick	chk
chilled	chLd
chocolate	chocl8
chucked	chkd
club	clb
come	cum
confused	cnfsd
cool	kOl
could	cld
crazy	crz
crew	crw
dance	dnz
day	da
didn't	ddnt
don't	dnt
down	dwn

C

D

dream	drEm
dumped	dmpd
ever	evr
every	evry
excellent	xlnt
extreme	xtrEm
eye	i
fabulous	fab
feel	fl or fEl
football	fOtbAL
for	4
forever	4evr
forget	4get
friend	frnd
get	gt
girl	grl
give	giv or gve
good	gd
goodbye	gd by or GB
gorgeous	grgus
great	g8
grounded	grndd

E

F

G

had	hd
has	hs
hate	h8
have	hv or hav
heart	hrt
helllo	hlo
here	hr
home	hm
homework	hmwk
hormones	hrmonz
hot	ht
how	hw
infinity	8 (side-on)
	or oo
it is not	snt
just	jst
kiss	ki$
know	no
large	lrg
late	l8
later	l8r
less	<

H

I J K

L

152

let	lt
life	lfe
like	lk
little	liTl
look	lOk
lousy	louz
love	luv
make	mak or mke
massive	ma$iv
mate	m8
maybe	m/b
message	msg
might	mite
minute	min
mobile	MOB or moby
moment	mo
money	muny
more	>
much	mch
must	mst
need	nd or nEd
never	nvr
nice one	n1
night	nite

M

N

no	-! or 0 (zero)
no-one	no1
not	nt
nothing	0 (zero) or 0ng
now	nw
okay	ok
one	1
open	opn
over	ovr
party	prty
passing	p$ng
people	ppl
please	pls or plz
pocketmoney	poktmuny
problem	prob
promise	prmis
ready	rdy
right	rt
ring	rng
say	sa
school	skul
see	C

O

P

R

S

send	snd
session	sesh
snog	sng
someone	sum1
soon	sn
sorry	sre
speak	spk
straight	str8
stuff	stf or stF
taking	tkng
terrible	trbl
terrific	trfic
text	txt
than	thn
thanks	thx
thank you	thku
that	tht
the	T
them	thm
these	thEs
they	thy
thing	thng
this	ths
thrilling	frLng
through	thru

T

time	tIm
to	2
today	2da
together	2gthr
tonight	2nite
tomorrow	2moro
total	ttl
totally	ttly
tragedy	trgd
two	2
under	undr
until	tiL

wait	w8
want	wan or wnt
was	ws
wassup	wa$up
weekend	wknd
what	wot
whatever	w/e
what's up	wu
when	whn or wen
who	hO
why	Y
with	w/
without	w/o

wonderful	1dalfl
word	wrd
world	wrld
would	wld
wrong	rong
yes	+!
you	U
you are	UR
you'll	uL
your	ur
yourself	urslf
you've	Uv or UHav

Y

Record your fave messages and emoticons here.

Zipped   **Unzipped**

DIY Txt

Record your fave messages and emoticons here.

Zipped   **Unzipped**

DIY Txt

Record your fave messages and emoticons here.

Zipped	Unzipped